LES
PLASTIQUES

L'édition originale de cet ouvrage
a paru sous le titre: *Plastics*
Copyright © Aladdin Books Limited 1987,
70, Old Compton Street, London W1
All rights reserved

Adaptation française de Florence van Thiel
Illustrations de Louise Nevett et Simon Bishop
Copyright © Éditions Gamma, Tournai, 1988
D/1988/0195/13
ISBN 2-7130-0900-6
(édition originale: ISBN 086313 549 8)

Exclusivité au Canada:
Les Éditions Héritage Inc., 300, avenue Arran,
Saint-Lambert, Qué. J4R 1K5
Dépôts légaux, 2e trimestre 1988,
Bibliothèque nationale du Québec
Bibliothèque nationale du Canada
ISBN 2-7625-5031-9

Imprimé en Belgique

SOMMAIRE

Origine des photographies:

Couverture, pages 23 et 24: Robert
Harding; page de titre, pages 4-5:
Tony Stone Associates;
pages 9 et 21: Shell Photographic;
pages 15, 17 et 19: Photosource;
page 18: Paul Brierley.

LES PLASTIQUES

Kathryn Whyman - Florence van Thiel

Éditions Gamma - Éditions Héritage Inc.

COMMENT DÉFINIR LES PLASTIQUES?

Les plastiques sont partout. Peut-être votre chaise, la table devant vous et les chaussures que vous portez sont-elles, au moins partiellement, en ces matières. Les plastiques sont de types extrêmement nombreux et variés ; même un bac à laver et un gobelet de distributeur de boissons ne sont pas de la même composition. Alors comment définir les plastiques? Ils sont tous des produits fabriqués qui peuvent être moulés dans n'importe quelle forme. Cette propriété est une des raisons de leur grande utilisation.

La production mondiale des plastiques est considérable

Mais les plastiques ont d'autres particularités qui expliquent aussi le grand rôle qu'ils jouent dans notre vie. Ils sont légers, relativement bon marché et peuvent être fournis en différents coloris. Mauvais conducteurs de chaleur et d'électricité, ils constituent de bons isolants. Contrairement aux métaux et au bois, ils ne rouillent ni ne pourrissent mais ils offrent souvent moins de résistance que la plupart des métaux. Ils fondent lorsqu'on les porte à haute température, dégageant parfois des fumées toxiques.

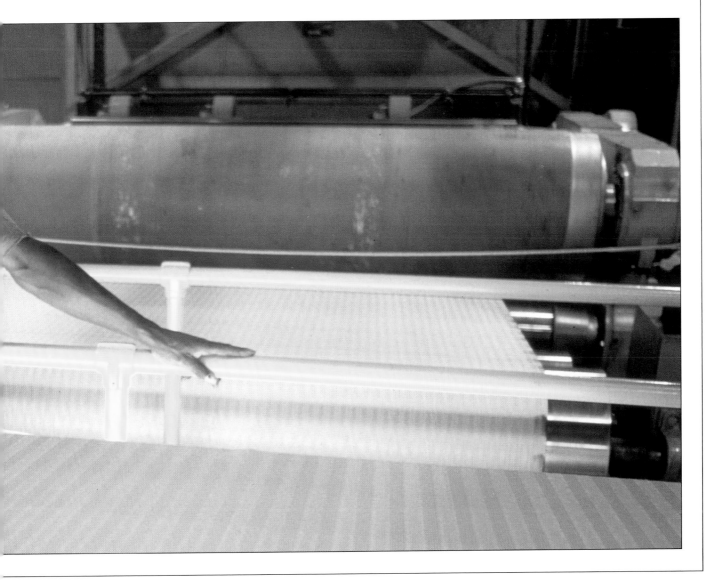

D'OÙ VIENNENT LES PLASTIQUES?

Les plastiques peuvent être obtenus à partir du charbon, du gaz ou du pétrole brut. La fabrication au départ du pétrole est la moins coûteuse et donc la plus courante actuellement ; mais lorsque les réserves mondiales de cette huile minérale diminueront, le charbon pourra la remplacer. Le pétrole brut des nappes souterraines n'est pas un corps simple mais un mélange de composés chimiques dont certains entrent dans la fabrication des plastiques.

La première étape consiste à amener le produit par oléoduc à la raffinerie où il est séparé en ses différents composants. Beaucoup serviront de combustibles mais d'autres, et spécialement le naphte, seront transformés en plastiques.

Un aspect impressionnant d'une raffinerie de pétrole

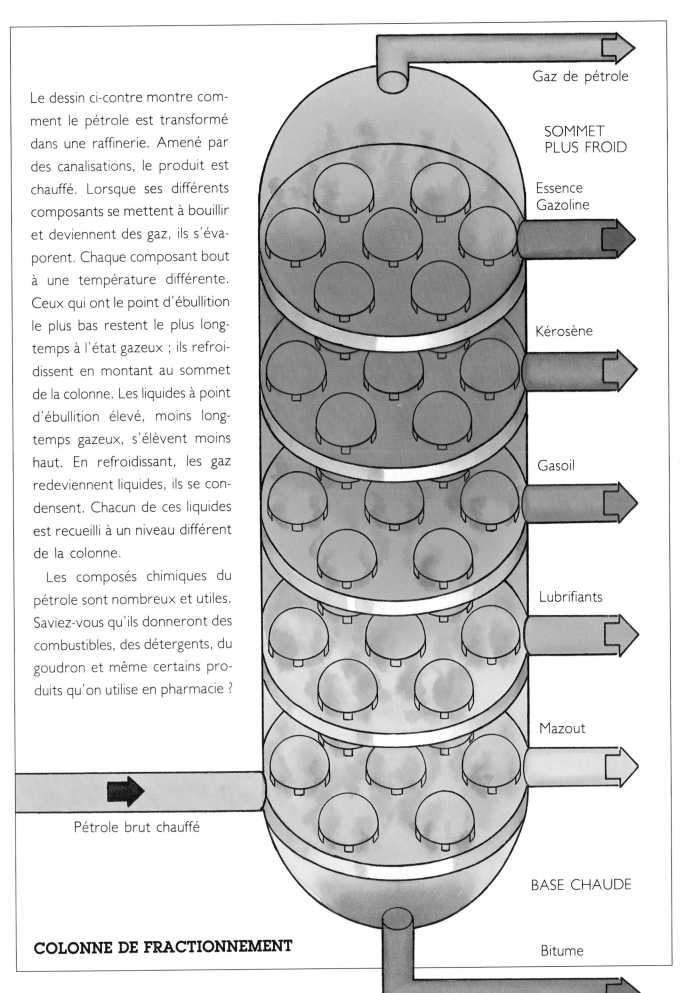

Le dessin ci-contre montre comment le pétrole est transformé dans une raffinerie. Amené par des canalisations, le produit est chauffé. Lorsque ses différents composants se mettent à bouillir et deviennent des gaz, ils s'évaporent. Chaque composant bout à une température différente. Ceux qui ont le point d'ébullition le plus bas restent le plus longtemps à l'état gazeux ; ils refroidissent en montant au sommet de la colonne. Les liquides à point d'ébullition élevé, moins longtemps gazeux, s'élèvent moins haut. En refroidissant, les gaz redeviennent liquides, ils se condensent. Chacun de ces liquides est recueilli à un niveau différent de la colonne.

Les composés chimiques du pétrole sont nombreux et utiles. Saviez-vous qu'ils donneront des combustibles, des détergents, du goudron et même certains produits qu'on utilise en pharmacie ?

Gaz de pétrole

SOMMET
PLUS FROID

Essence
Gazoline

Kérosène

Gasoil

Lubrifiants

Mazout

Pétrole brut chauffé

BASE CHAUDE

Bitume

COLONNE DE FRACTIONNEMENT

LA FABRICATION DES PLASTIQUES

Le naphte est une sorte de gazoline lourde. Bien qu'étant un des composants du pétrole, il n'est pas un corps simple et peut donc être décomposé en différents éléments par un procédé appelé «craquage». L'un des corps purs ainsi obtenus est l'éthylène, un produit des plus utiles pour la fabrication des plastiques. Comme tous les corps, ce gaz inflammable, généralement incolore, est composé de petites particules appelées «molécules». Dans le gaz, celles-ci sont séparées mais, sous certaines conditions, elles peuvent être raccordées en chaîne, en quelque sorte comme un collier de perles. C'est ainsi que se forme le «polyéthylène», un des plastiques les plus utilisés au monde.

Molécules d'éthylène

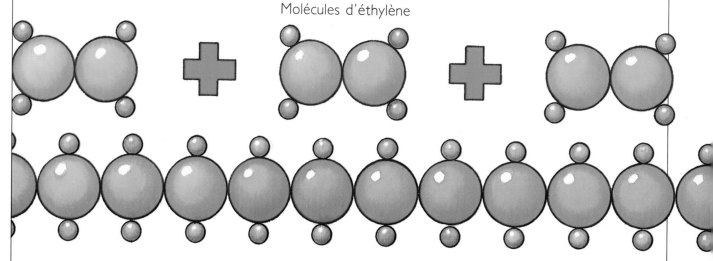

Polyéthylène

Chaque molécule d'éthylène est faite de deux atomes de carbone et de quatre atomes d'hydrogène. Le haut du dessin montre trois molécules séparées comme elles le sont dans l'éthylène gazeux. En contact avec une autre substance chimique appelée «catalyseur», ces molécules se raccordent en une longue chaîne. Cette opération se nomme «polymérisation» et la chaîne obtenue est un «polymère». Le mot polyéthylène vient de «poly» signifiant plusieurs et de «éthylène». On produira de façon similaire bien d'autres plastiques.

8

La plupart des plastiques viennent du pétrole. En haut: une boîte en polystyrène

QUELQUES TYPES DE PLASTIQUES

Si différents qu'ils soient, les plastiques appartiennent tous à l'un des deux groupes suivants: les «thermoplastiques» et les «thermodurcissables». Les premiers thermoplastiques réalisés furent le polystyrène, le chlorure de polyvinyle (PVC) et le polyéthylène ; ils sont toujours utilisés couramment aujourd'hui. Parmi les thermoplastiques plus récents, citons le Nylon, le Plexiglas et l'Orlon.

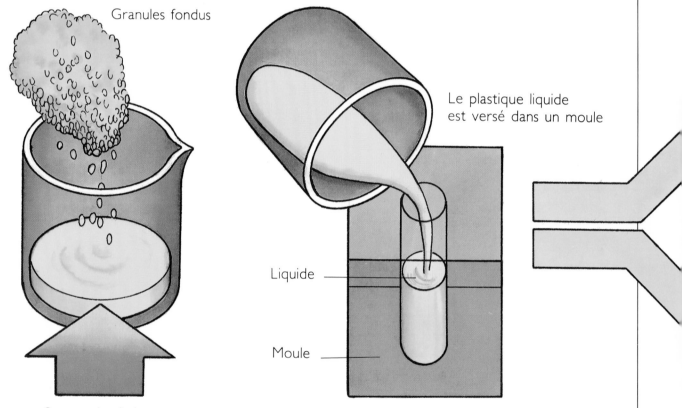

Granules fondus

Le plastique liquide est versé dans un moule

Liquide

Moule

Source de chaleur

Au premier stade de leur fabrication, les plastiques se présentent sous forme d'un liquide épais ou de granules. Cette matière est appelée plastique brut car elle n'a pas encore été façonnée pour obtenir des articles finis. Les granules, auxquels on ajoute parfois un colorant, sont versés dans un récipient et chauffés jusqu'à ce qu'ils fondent.

Le plastique liquide est alors coulé dans un moule. Les moules sont de types variés mais le plus simple d'entre eux est constitué d'une pièce métallique creuse dont la forme intérieure correspond exactement à la forme de l'article fini. Jusqu'à ce point, thermoplastiques et thermodurcissables sont traités de la même façon.

Les thermoplastiques ont une caractéristique commune, celle de fondre lorsqu'ils sont suffisamment chauffés et de se resolidifier en refroidissant. Cela signifie qu'ils peuvent être réutilisés. Les thermodurcissables n'ont pas cette propriété. Ils résistent à des températures bien plus élevées et conviennent donc à la fabrication de poignées de casseroles et de cendriers. Le premier plastique produit était un thermodurcissable appelé Bakélite d'après le nom de son inventeur, Léo Baekeland, un chimiste d'origine belge.

THERMODURCISSABLES

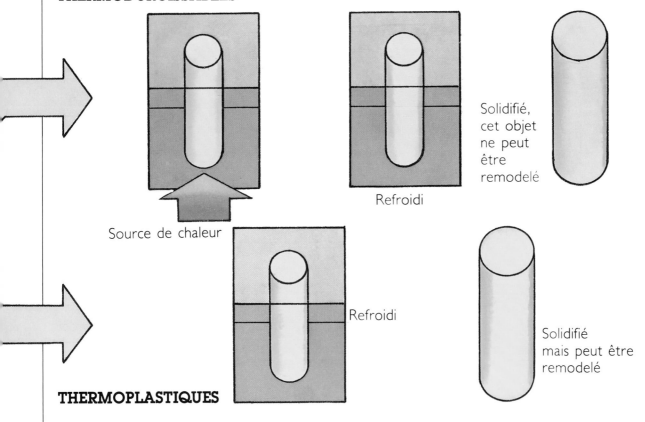

Source de chaleur

Refroidi

Solidifié, cet objet ne peut être remodelé

Refroidi

Solidifié mais peut être remodelé

THERMOPLASTIQUES

Lorsqu'un thermodurcissable est porté à une certaine chaleur, des liens se forment entre ses polymères ; ceux-ci se raccordent alors en une structure permanente. On laisse ensuite le thermodurcissable se refroidir dans le moule. Les thermoplastiques, eux, ne doivent pas être réchauffés dans le moule ; on attend simplement qu'ils s'y solidifient.

Les liens solides entre les polymères des thermodurcissables permettent à ceux-ci de garder leur forme primitive, même à très haute température. Il est presque impossible de les refondre pour fabriquer de nouveaux objets. Les thermoplastiques, en revanche, présentent des liens de types différents et peuvent être refondus et réutilisés.

11

LES PLASTIQUES MOULÉS

Vu l'énorme variété des objets en plastique — fines feuilles pour l'emballage des produits alimentaires, tringles pour rails de rideaux, récipients divers ou jouets sophistiqués — il n'est pas étonnant qu'il y ait de nombreuses techniques de moulage. Quelques-uns des procédés les plus courants sont représentés ci-dessous. La méthode choisie dépend évidemment de la structure de l'article à fabriquer et de son utilisation.

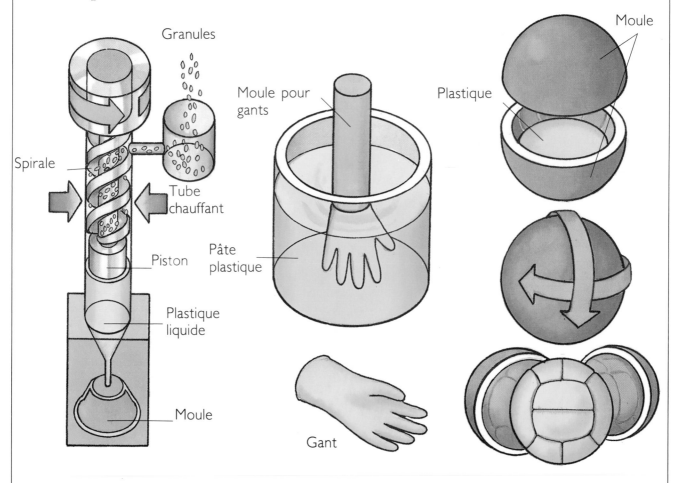

Des granules de plastique sont versés dans une spirale chauffante. Un piston injecte le plastique liquide dans un moule où il se refroidit et se solidifie.

Pour une forme creuse de faible épaisseur, le moulage par trempage est la meilleure méthode. Ici un moule plein est trempé dans un plastique liquéfié.

Pour fabriquer des ballons de plage, on verse du plastique en poudre dans un moule et on le met au four; en fondant, il tapisse la paroi du moule qui tourne.

De nombreux thermodurcissables doivent être chauffés pour être moulés. Le procédé utilisé s'appelle le moulage par compression. Un moule, généralement en acier et composé de deux parties, est maintenu dans une presse. Du plastique brut est introduit dans la partie inférieure, puis les deux pièces sont pressées ensemble. Le moule est chauffé. Le plastique se ramollit et est poussé dans les moindres creux du moule ; il y restera jusqu'à durcissement complet.

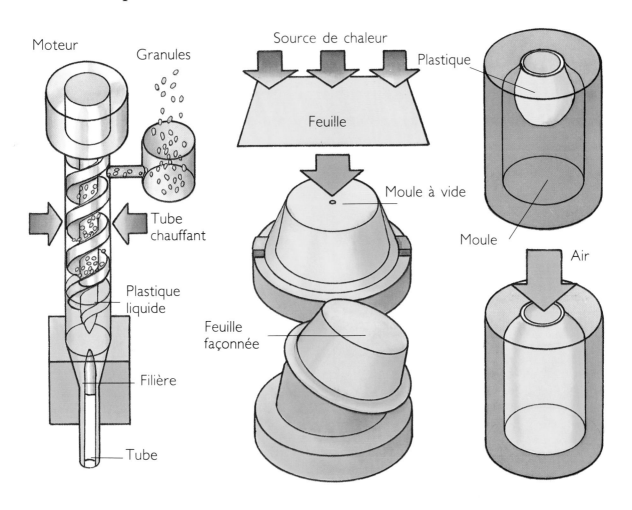

Dans le moulage par extrusion, le thermoplastique fondu est forcé à travers un trou ou «filière» qui déterminera la forme de l'objet fabriqué.

Dans le thermoformage, une feuille de thermoplastique chauffé est progressivement aspirée contre la paroi du moule lorsque celui-ci se vide de son air.

Dans le moulage par soufflage, un tube de plastique est extrudé puis scellé à une extrémité. De l'air soufflé dans le tube lui fait prendre la forme du moule.

LES FEUILLES RIGIDES

Les plastiques ne se présentent pas toujours sous forme de volumes ; ils existent aussi en feuilles. Le Plexiglas est un type de thermodurcissable qui convient parfaitement pour faire des vitres et des plafonniers. Il est transparent comme le verre mais beaucoup moins cassant. Pour le fabriquer, le plastique liquide est coulé entre deux plaques de verre hermétiquement jointes par du caoutchouc. L'ensemble est bien serré et passé au four. On retire la feuille dès qu'elle est solidifiée.

Des tables et des comptoirs de magasins sont parfois recouverts d'une feuille protectrice de plastique stratifié. Le plus connu de ces plastiques est le Formica. Formé de couches de papier et de plastique, il offre une surface très dure qui lui permet de résister à la chaleur et aux taches.

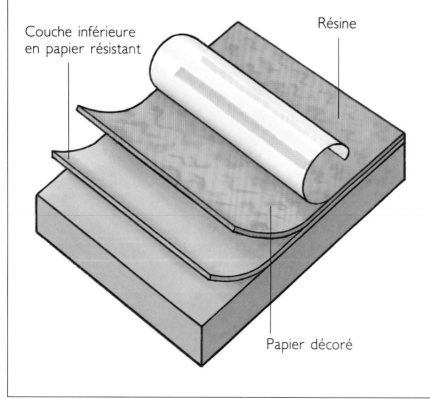

Couche inférieure
en papier résistant

Résine

Papier décoré

Le Formica est une feuille rigide composée de trois couches de matières différentes. La couche inférieure consiste en un simple papier kraft imprégné de Bakélite. La couche médiane est faite aussi de papier, imbibé celui-ci d'une résine incolore appelée mélamine, sur lequel est imprimé un motif décoratif. La couche supérieure, une fine feuille de papier transparent imprégné également de résine, servira à protéger la décoration imprimée sur la feuille centrale.

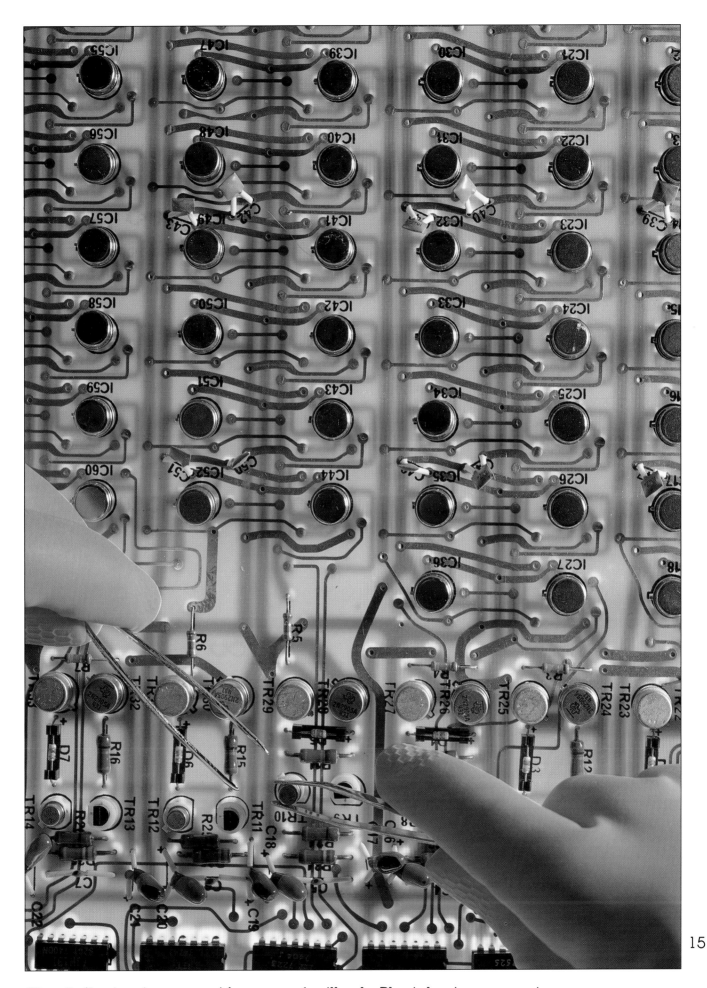

15

Circuit électronique monté sur une feuille de Plexiglas transparent

LES FEUILLES SOUPLES

Plastiques stratifiés et Plexiglas sont rigides. D'autres matières plastiques permettront d'obtenir des feuilles souples avec lesquelles on fabrique des sacs, des imperméables légers, des rideaux de douche, des emballages pour produits alimentaires, etc.

Des victuailles, des livres et bien d'autres articles sont souvent emballés sous film rétractable. Une fine feuille de ce plastique est chauffée et étirée ; en refroidissant, elle reste étirée. Après emballage des marchandises et fermeture des paquets, ceux-ci passent dans un tunnel chauffé. Le plastique se ramollit et reprend sa dimension première, tout en épousant la forme de l'objet qu'il enveloppe.

Les feuilles de polyéthylène sont habituellement fabriquées selon un procédé appelé soufflage. Des granules de plastique brut sont chauffés ; le plastique fondu est poussé dans un tube au travers duquel est insufflé de l'air froid qui fait gonfler la pâte comme un ballon. Le plastique est ensuite étalé en fines feuilles.

Feuille de polyéthylène

Granules de plastique

Source de chaleur

Fente circulaire

Vêtements de pluie imperméabilisés au moyen de plastique

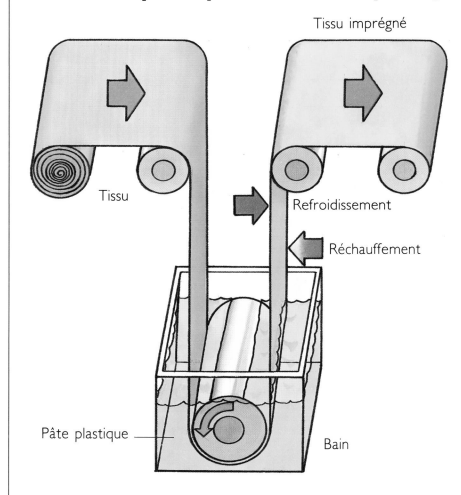

Tissu imprégné

Tissu

Refroidissement

Réchauffement

Pâte plastique

Bain

Il est possible d'imperméabiliser des tissus en les imprégnant de plastique. L'étoffe ou la toile est enroulée autour d'un cylindre qui baigne dans une pâte plastique. Au sortir du bain, le tissu est d'abord chauffé puis refroidi afin de fixer le produit ; il est ensuite enroulé sur une bobine et prêt à être envoyé dans des ateliers de confection de vêtements imperméables ou de tentes.

Un autre procédé d'imperméabilisation s'appelle le calandrage. Il consiste à n'enduire de plastique qu'une seule face de la matière textile.

17

PEINTURES ET COLLES

Saviez-vous que les peintures et les colles contiennent habituellement des plastiques? Bien des peintures sont composées de trois produits chimiques: le pigment qui donne la couleur, un plastique qui fait adhérer le pigment et apporte au revêtement un fini brillant, et un solvant — généralement du white-spirit — qui rend la peinture fluide et facile à appliquer. Quand le solvant s'est évaporé, ne restent que le pigment et le plastique ; la peinture est alors sèche. Les peintures utilisées pour décorer les maisons sèchent rapidement d'elles-mêmes, mais celles qu'on vaporise sur les voitures doivent être passées au four.

Des colles puissantes sont faites de thermodurcissables appelés «résines époxydes». Elles peuvent coller métal, verre, porcelaine, bois, presque tout!

Les colles faites de plastiques thermodurcissables prennent à froid

Dans certaines peintures, un plastique fera adhérer le pigment

LES MOUSSES

Les mousses sont des matières plastiques allégées par des bulles de gaz. Ces mousses servent à de nombreux usages: isolation, emballage, rembourrages souples.

Les mousses flexibles donneront des coussins, des matelas, des éponges synthétiques, des joints de fenêtres et des rouleaux pour peindre. En fines feuilles, elles permettront de doubler des vêtements afin de les rendre plus chauds. La mousse rigide sert surtout d'isolant thermique. Injectée dans le vide entre les doubles murs extérieurs d'une maison, elle lui permet de garder sa chaleur. Le polystyrène est une mousse rigide destinée à l'emballage de produits fragiles.

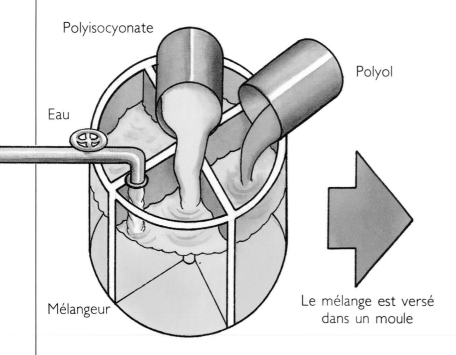

Polyisocyonate

Polyol

Eau

Mélangeur

Le mélange est versé dans un moule

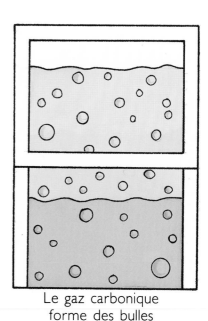

Le gaz carbonique forme des bulles

Le polyuréthane, une mousse rigide en thermodurcissable, peut être obtenu de deux façons. Ou bien on mélange les deux produits de base de ce plastique, le polyisocyonate et le polyol, et la réaction libère suffisamment de gaz pour créer une mousse.

Ou bien on bat vigoureusement le polyuréthane liquide avec un acide et un agent moussant. Le mélange devient aussitôt effervescent et se fixe presque immédiatement en une légère mousse rigide qui constituera un excellent isolant.

Une pile de chaises faites de polystyrène et de mousse flexible

LES FIBRES SYNTHÉTIQUES

Des plastiques servent même à la fabrication de tissus synthétiques pour la confection de vêtements, rideaux, draps, etc. Nylon, polyester et acrylique sont des fibres de plastiques thermodurcissables. Pourquoi crée-t-on des fibres synthétiques alors qu'il en existe de naturelles comme le coton et la laine? Parce que les fibres naturelles sont chères et que leur production est insuffisante. Les tissus synthétiques présentent également des avantages: ils se chiffonnent moins et ne rétrécissent pas au lavage. Mais ils sont moins agréables à porter et moins chauds que les tissus naturels. Fibres synthétiques et fibres naturelles sont souvent mélangées afin de combiner les avantages des deux matières.

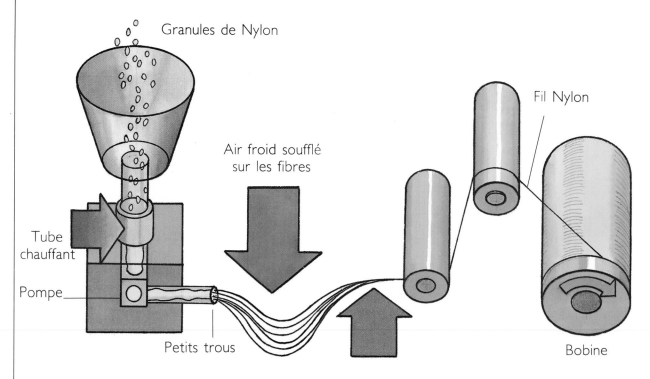

Granules de Nylon

Air froid soufflé sur les fibres

Fil Nylon

Tube chauffant

Pompe

Petits trous

Bobine

Les longs fils, ou fibres, qui donneront les tissus synthétiques sont obtenus par extrusion. Le dessin ci-dessus montre la fabrication du fil Nylon par le procédé de «filage par fusion». Les granules de plastique sont en effet fondus et forcés à travers les petits trous d'une filière rotative. Les fibres durcissent en se refroidissant et sont enroulées aussitôt sur des bobines. Les fils sont prêts dès lors à être utilisés dans les usines de tissage.

Les fibres sont enroulées sur des bobines destinées au tissage

LE RECYCLAGE

Chaque année, nous jetons des millions de tonnes de matières plastiques à la poubelle. La majeure partie est déversée sur les terrains d'épandage, avec les autres déchets, mais, contrairement aux métaux et au bois, les plastiques ne se dégradent pas naturellement. Cela signifie qu'ils continueront à défigurer le paysage et que nos précieuses ressources pétrolières sont gaspillées. Il y a pourtant moyen de réduire ce gâchis. Déjà certains plastiques sont rendus «biodégradables»: ils se décomposent dans le sol. Par ailleurs, les thermoplastiques, susceptibles d'être refondus, sont parfois recyclés. D'autres encore peuvent être brûlés sans danger de pollution de l'atmosphère, fournissant ainsi chaleur aux particuliers et énergie aux usines.

Un tas d'ordures. Le papier se décompose, le plastique demeure

Le plastique menace notre environnement. En haut: un centre de recyclage

HISTOIRE D'UN JOUET

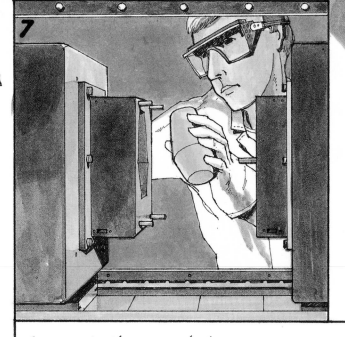

1. LE PÉTROLE EST EXTRAIT DU SOL ET AMENÉ À LA RAFFINERIE.
2. iL EST SÉPARÉ EN DIFFÉRENTS PRODUITS DONT CERTAINS DONNERONT DES PLASTIQUES.

7. LES DIFFÉRENTS ÉLÉMENTS SONT MOULÉS PAR INJECTION ET EXPÉDIÉS À LA FABRIQUE DE JOUETS. 8.

3. LE JOUET EST DESSINÉ ET LE MODÈLE ÉTABLI.
4. UN PROJET D'EMBALLAGE EST FABRIQUÉ AVEC DU CARTON ET DU PLASTIQUE.
5. LE PROJET ÉTANT APPROUVÉ, UN EXEMPLAIRE DE CHAQUE PIÈCE EST FAÇONNÉ AFIN DE POUVOIR COMMANDER LES MOULES EN MÉTAL. 6.

DES MILLIERS D'EXEMPLAIRES PEUVENT ÊTRE RÉALISÉS AINSI ET VENDUS PARTOUT DANS LE MONDE.

9. LES JOUETS SONT ASSEMBLÉS A LA CHÂINE, CHAQUE OUVRIÈRE Y AJOUTANT UNE PIÈCE. ILS SONT ALORS EMBALLÉS ET LIVRÉS DANS LES MAGASINS.

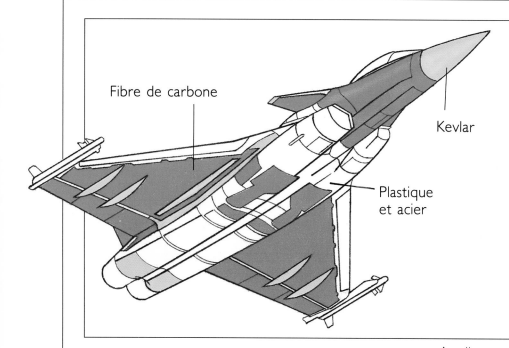

Fibre de carbone

Kevlar

Plastique
et acier

Moins chers, plus légers que les métaux, et parfois tout aussi résistants, les plastiques ne sont pas réservés uniquement aux garnitures intérieures des avions modernes. Ils sont également utilisés dans la structure de la queue et des ailes. Des colles, plastiques aussi, sont employées pour assembler les différentes pièces extérieures.

Les plastiques jouent un rôle capital dans notre vie. Le dessin ci-contre en montre quelques applications, sous des aspects différents : rigide ou souple, en feuilles, peintures, mousses, tissus ou objets moulés. D'autres matériaux pourraient être utilisés à leur place mais les plastiques sont légers, bon marché et parfois plus durables. A l'aide de ce livre, recherchez comment chaque objet a été fabriqué et voyez, en consultant la page 30, ce que deviendrait le dessin si, tout à coup, les plastiques devaient disparaître!

Mousse isolante

Applique
lumineuse

Égouttoir

Bol
du chat

Revêteme
en Formic

Pot à
fleurs

Serre en
Plexiglas

Plateau et
gobelets

Sac

Poubelle

LE NOM DES PLASTIQUES

Beaucoup de plastiques portent des noms assez longs et qui semblent compliqués mais ceux-ci expliquent souvent leur constitution. Si vous comprenez l'origine de ces noms, vous les retiendrez plus facilement.

Les plastiques sont formés de longues chaînes appelées «polymères», mot qui signifie «plusieurs éléments». C'est une bonne description d'un polymère puisque chacun d'eux est formé d'une quantité de petites molécules. Prenons un plastique courant, le polyéthylène ; il est composé de polymères contenant quantité de molécules d'éthylène. Le nom polyéthylène ou polythène donne la composition du plastique. De même, le polystyrène est formé de quantité de molécules de styrène. D'autres plastiques portent des noms plus courts qui sont des noms déposés et ne donnent aucun renseignement sur le produit. Ainsi Plexiglas, Nylon et Orlon sont des plastiques connus sous leur nom déposé.

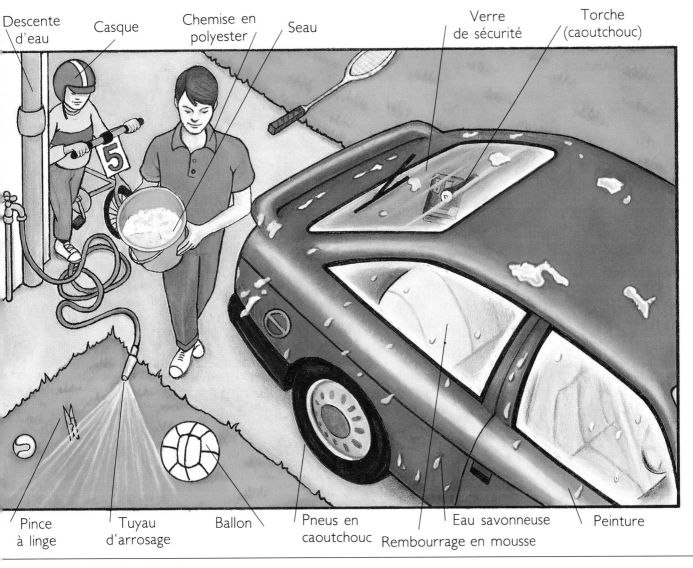

Descente d'eau — Casque — Chemise en polyester — Seau — Verre de sécurité — Torche (caoutchouc)

Pince à linge — Tuyau d'arrosage — Ballon — Pneus en caoutchouc — Rembourrage en mousse — Eau savonneuse — Peinture

Bien des objets de la vie courante sont faits en plastique...

Nous avons étudié la fabrication des plastiques à partir du pétrole, parce que c'est la plus courante, mais ils pourraient être fabriqués également à partir du charbon ou du gaz. Ces trois richesses naturelles ont mis des millions d'années à se former. Les réserves mondiales de pétrole diminuent rapidement ; celles de la mer du Nord seront presque épuisées au début du siècle prochain. Le pétrole deviendra alors trop cher pour qu'on puisse l'utiliser comme combustible. De même, le charbon et le gaz ne dureront pas éternellement. Il est donc urgent et impératif de trouver d'autres sources d'énergie afin que charbon, pétrole et gaz restent à un prix abordable pour la fabrication des plastiques.

Les plastiques sont de production récente. Avant la Deuxième Guerre mondiale, d'autres matériaux étaient employés. Certains d'entre eux figurent sur la page suivante. En fait, leur utilisation, loin d'être abandonnée, pourrait même s'accroître. Ils ont des propriétés similaires à celles de certains plastiques mais leur production en masse est plus coûteuse, pour le moment du moins.

Récemment, on a découvert que le bois aussi pouvait servir à fabriquer des plastiques. Rien d'étonnant à ce que charbon et bois puissent contenir les mêmes produits chimiques puisque le charbon se forme à partir de bois fossilisé. Mais le bois est plus intéressant que le charbon parce que les arbres poussent relativement vite. Toutefois, il faut recourir à une planification méthodique, car de grandes surfaces du globe ont déjà été déboisées pour fournir bois de construction et papier. Nous pouvons tous contribuer à sauver nos ressources naturelles en utilisant moins de plastique, en les gaspillant moins et en essayant de les utiliser plusieurs fois.

Imaginez la vie sans plastiques !

Le latex (caoutchouc)

coule par des entailles pratiquées dans l'hévéa. On en fait principalement des pneus.

La cellulose

provient des plantes. Elle sert à la fabrication de cellophane, rayonne, peintures et vernis.

La corne

et les ongles des animaux peuvent être taillés pour en faire des objets utiles.

La caséine

est une protéine qui provient du lait. On peut en faire des fibres synthétiques.

La rayonne

est une fibre faite à partir de la cellulose. Elle est utilisée dans les pneus et les vêtements.

La résine

dont on fait des vernis, provient de certains arbres. L'ambre jaune est une résine fossile.

Le verre

est fait de sable, de soude et de calcaire. Nous en faisons vitres et bouteilles.

Le gutta-percha

est un latex utilisé pour l'intérieur des balles de golf. Jadis, il isolait les fils électriques.

La gomme laque

utilisée comme vernis, est sécrétée par la larve d'une cochenille indienne qui se nourrit de sève.

31

GLOSSAIRE

Catalyseur

Substance qui, par sa présence, facilite une réaction chimique.

Conducteur de la chaleur ou de l'électricité

Se dit d'une matière qui transmet facilement la chaleur ou le courant électrique.

Craquage

Procédé qui brise et reforme des molécules en les chauffant en présence d'un catalyseur.

Effervescent

Agité à la suite d'un dégagement de bulles gazeuses.

Extruder

Pousser à travers les trous d'une filière.

Plastique brut

Matière plastique qui n'a pas encore été façonnée en objet fini.

Résine

La résine naturelle est sécrétée par certains arbres ou plantes. La résine synthétique est une espèce de plastique.

Solvant

Substance généralement liquide qui peut dissoudre d'autres substances.

Synthétique

Qualifie une matière qui ne se trouve pas telle quelle dans la nature mais est fabriquée par l'homme.

INDEX

PRINTED IN BELGIUM BY

proost
INTERNATIONAL BOOK PRODUCTION